folio cadet ▪ premières lectures

Le Petit Nicolas
d'après l'œuvre de René Goscinny
et Jean-Jacques Sempé

Une série animée adaptée pour la télévision
par Matthieu Delaporte, Alexandre de la
Patellière et Cédric Pilot / Création graphique
de Pascal Valdès / Réalisée par Arnaud Bouron.
D'après l'épisode « Maixent le magicien », écrit
par Damien Pierret et Joseph Mannin.
Le Petit Nicolas, les personnages,
les aventures et les éléments caractéristiques
de l'univers du Petit Nicolas sont une création
de René Goscinny et Jean-Jacques Sempé.
Droits de dépôt et d'exploitation de marques
liées à l'univers du Petit Nicolas réservés
à **IMAV EDITIONS**. Le Petit Nicolas® est une
marque verbale et figurative enregistrée.

Adaptation : Emmanuelle Lepetit
Maquette : Clément Chassagnard
Le papier de cet ouvrage est composé
de fibres naturelles, renouvelables, recyclables
et fabriquées à partir de bois provenant
de forêts plantées et cultivées expressément
pour la fabrication de la pâte à papier.
Loi n° 49-956 du 16 juillet 1949 sur les
publications destinées à la jeunesse
ISBN : 978-2-07-065043-9
N° d'édition : 247421
Dépôt légal : novembre 2013
Imprimé en France par I.M.E.

Le Petit Nicolas

Abracadabra !

GALLIMARD JEUNESSE

Le Petit Nicolas

Maman Papa

et ses copains

Nicolas   Alceste   Clotaire Eudes

La maîtresse   Le Bouillon

Louisette   Marie-Edwige   Geoffroy   Agnan

Ce matin, en arrivant à l'école, Nicolas découvre sa bande de copains attroupée sous le préau.

– Maixent a reçu une boîte de magie de son oncle, lui explique Clotaire.

– Je vais exécuter devant vous un tour fabuleux ! annonce le magicien. Pour cela, j'ai besoin d'un assistant.

– MOI ! s'écrie aussitôt Nicolas, qui a toujours rêvé d'apprendre la magie.

Maixent présente un morceau de ficelle à son public et déclare :

– Je vais demander à Nicolas de tran- cher cette cordelette en deux !

Ce dernier coupe la ficelle avec ses ciseaux d'écolier. Maixent roule les deux bouts entre ses mains.

– Tu vas maintenant souffler sur mes mains. Abracadabra...

Maixent écarte ses mains. Incroyable ! la cordelette s'est reformée.

– Bravo ! applaudissent les copains.

Geoffroy est le seul à ne pas avoir l'air emballé.

– C'est un vieux tour, ça. Même un idiot saurait le faire les doigts dans le nez !

– Idiot toi-même ! se fâche Maixent. Tu vas voir ce que je vais faire avec ton nez !

– Laisse, le retient Nicolas. Montre-nous plutôt un autre tour... Un qui soit vraiment terrible.

– Bonne idée ! Trouve-moi un objet. Je vais le faire disparaître !

Mais Clotaire ne veut pas céder son ballon. Et pas question pour Alceste de donner son pain au chocolat. Maixent finit par s'énerver.

– Rufus, passe-nous ton sifflet !

– Ça va pas la tête ? C'est quoi cette manie de vouloir tout faire disparaître ?

– Et moi, si vous continuez à vous cha-mailler, je vais faire apparaître deux heures de retenue pour tout le monde, les interrompt la grosse voix du Bouillon. Allez, HOP ! en classe !

Après l'école, Nicolas invite la bande chez lui pour assister à une nouvelle démonstration de magie.

– Je croyais qu'on devait aller au cinéma, boude Geoffroy.

– On ira demain ! promet Nicolas.

Dans le salon, les garçons poussent les fauteuils et tirent les rideaux, tandis

whilst

que Maixent enfile sa tenue de magi-cien. Enfin, tout est prêt : le spectacle peut commencer.

– Voici celui que vous attendez tous : l'incroyable et terrible Maixent le magi-cien ! clame Nicolas.

Maixent enlève *removed* son chapeau et le retourne pour que tout le monde voie qu'il est vide. Puis il le pose sur la table et le frappe de sa baguette magique.

– Vous allez voir : sous ce chapeau se cache un as de pique ! Abracada...

– C'est pas des lapins qui sortent des chapeaux normalement ? le coupe Joachim.

– Mais non, andouille ! C'est des pigeons, objecte Eudes.

– Des pigeons ? Et pourquoi pas des poulets ? renchérit Clotaire.

– TAISEZ-VOUS ! s'agace Nicolas.

Maixent se concentre à nouveau.

– Abracada...

– Mon pain au chocolat! panique Alceste.

Il se tourne de tous côtés, mais pas de trace de son goûter.

– C'est toi qui l'as fait disparaître! accuse Alceste en se jetant sur Maixent.

– Lâche-le! s'interpose Nicolas. Tu l'as sans doute déjà mangé.

– Tu crois ? demande Alceste. Je ne m'en souviens pas et, en plus, je sens que j'ai encore un petit creux.

– Si tu ne laisses pas Maixent faire son tour, tu seras privé de la tarte aux pommes que ma mère a préparée ! le menace Nicolas.

Alceste se rassoit illico.

– Abracada..., répète Maixent pour la troisième fois.

– Ha, ha, ha ! Je le connais, ce tour ! ricane Geoffroy en s'emparant du chapeau de magicien. L'as de pique est caché dans le double fond !

– C'est même pas vrai ! réagit Maixent en lui sautant dessus.

Geoffroy tombe à la renverse sur une commode. La lampe posée dessus

bascule dans le vide et, BADABLING !
se fracasse par terre.

– Qu'est-ce que c'est que ce cirque ?
se fâche la maman de Nicolas en découvrant son salon dévasté. Allez, ouste !
Disparaissez !

En sortant de chez Nicolas, Maixent est découragé.

– Geoffroy connaît tous les tours ! Comment faire pour le surprendre ?

Nicolas réfléchit un instant. Soudain, son visage s'éclaire.

– Écoute : j'ai un plan...

Le lendemain, la bande se réunit dans la cabane du terrain vague. Debout sur une estrade, devant un rideau rouge, Maixent proclame :

– Vous allez assister à un tour comme vous n'en avez jamais vu !

– On avait dit qu'on irait au cinéma ! râle Geoffroy.

– On a encore un peu de temps avant la séance, le rassure Nicolas.

De son côté, Alceste s'inquiète.

– Tu as prévu à manger ? demande-t-il à Nicolas.

– Si tu as faim, tu n'as qu'à aller te chercher un truc, chuchote son ami. Mais sois discret !

Ni vu ni connu, Alceste se faufile au-dehors.

– Cette fois-ci, je vais faire disparaître l'un d'entre vous ! reprend Maixent. Pour réaliser ce tour très dangereux, il me faut un volontaire.

Personne n'ose lever la main.

– Voyons voir..., dit le magicien. Je choisis... Nicolas !

– QUOI ? MOI ? s'écrie son complice, en faisant semblant d'être étonné.

– Passe derrière ce rideau, ordonne Maixent.

Nicolas obéit.

– Abracadabra! s'exclame Maixent.

Il écarte le rideau. Nicolas n'est plus là! Mais, en y regardant à deux fois, les copains aperçoivent un popotin qui se trémousse à travers un trou, à l'arrière de la cabane. Vite! ils se précipitent à l'extérieur, font le tour de la maisonnette et arrivent juste au moment où Nicolas ressort de l'autre côté.

– Ha, ha, ha! Tu es vraiment le plus mauvais magicien du monde! se moque Geoffroy.

– Sauf que ce n'est pas moi qui devais disparaître, dément alors Nicolas, malin. Regardez bien : il manque quelqu'un !

– Ça alors... c'est vrai! sursaute Eudes. Alceste a disparu !

Mais Geoffroy doute encore.

– Eh bien, puisque tu es si fort, Maixent, fais-le réapparaître !

– Et dépêche-toi, sinon on va rater la séance au cinéma, insiste Rufus.

– Hein ? Euh… c'est-à-dire que…, bafouille Maixent.

Une fois encore, Nicolas le tire d'affaire.

– Bravo, maître ! le félicite-t-il. Faire disparaître Alceste ici pour le faire réapparaître au cinéma : quel numéro !

– J'ai hâte de voir ça ! siffle Clotaire, admiratif.

– Alors, vite ! filons au cinéma ! lance Eudes.

Dès que les garçons se sont éloignés, Maixent se retourne vers Nicolas.

– T'es pas un peu fou dans ta tête ? Je ne sais même pas où il est, Alceste !

– T'inquiète, rigole Nicolas. Moi, je sais ! Va au cinéma, monte sur scène et fais durer le suspense. Je m'occupe du reste.

Pendant que Maixent rejoint les autres, Nicolas court... à la boulangerie, évidemment! Il arrive pile au moment où Alceste sort de la boutique, une religieuse au chocolat entre les mains.

– Alceste! Il faut que tu me suives, c'est urgent!

Le gourmand se gratte le menton et répond :

– D'accord... à condition que tu m'achètes deux autres religieuses.

Cinq minutes plus tard, Nicolas et Alceste, les bras chargés de gâteaux, arrivent devant le cinéma. Mais, pour entrer, il faut acheter un ticket, et il y a la queue...

– Pas de temps à perdre ! décide Nicolas. On va passer par la sortie de secours.

Malheureusement, un gardien a entendu Nicolas. Alors que les deux garçons s'engouffrent par la porte arrière du bâtiment, il les suit discrètement...

Dans la salle de cinéma, Maixent est monté sur la scène.

– HOUUUU ! le hue le public. Alors, ça vient, ce numéro ?

Le magicien n'a pas le choix, le suspense a trop duré. Il lance :

– Chose promise, chose due. Je vais faire réapparaître Alceste. Un, deux, trois : Abracadabra !

Il entrouvre le rideau. Raté : c'est Nicolas qui est derrière ! Maixent referme le rideau fissa, puis articule :

– Abracadabra !

Il tire à nouveau le tissu rouge. Cette fois, c'est le gardien qui est là ! Il est même en train de glisser sur une religieuse au chocolat qui est tombée par terre !

– Abracadabra ! répète Maixent, désespéré.

Et, miracle ! Alceste apparaît enfin, à côté de Nicolas et du gardien tout essoufflé.

– OOOH ! souffle le public, ébahi. Bravo !

Surpris, le gardien salue la salle, avant de crier :

– À présent, chenapans, déguerpissez !

Le lendemain, les copains se retrouvent dans la cour de l'école.

– Hé ! Nicolas ! tu dois connaître plein de tours de magie maintenant ! Tu nous en montres un ? demande Joachim.

Nicolas fait un sourire coquin et, HOP ! il chipe le pain au chocolat qu'Alceste s'apprête à croquer.

– Grâce à mes pouvoirs, je vais faire disparaître ce goûter en une seconde...
Et, ouvrant la bouche en grand, SCRONCH ! il n'en fait qu'une bouchée.
– Désolé, Alceste, sourit alors Nicolas, mais... je ne connais pas encore la formule pour le faire réapparaître !

→

je lis tout seul

Pour les jeunes apprentis lecteurs
Niveau 2

n° 1 *La photo de classe*

n° 2 *Même pas peur !*

n° 3 *Les filles, c'est drôlement compliqué !*

n° 4 *Papa m'offre un vélo*

n° 5 *Le scoop*

n° 6 *Prêt pour la bagarre*

n° 7 *La tombola*

n° 8 *La leçon de code*

n° 9 *Le chouchou a la poisse*

n° 10 *Panique au musée*

n° 11 *Qui veut jouer à la poupée ?*

n° 12 *La bande des pirates*

n° 13 *Un chaton trop mignon*

n° 14 *En route pour le pique-nique !*

n° 15 *La cantine, c'est chouette !*

n° 16 *On ne parle pas aux chouchous !*

n° 18 *La chasse au dinosaure*

Retrouve le Petit Nicolas sur le site www.petitnicolas.com